Hablemos con el fuego

Para Pablo
E.C.

A Carmen, Adrián, Itzel y la pequeña Mariana.
Claro, sin olvidar a Dora y Kala
L.S.V.

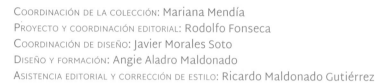

COORDINACIÓN DE LA COLECCIÓN: Mariana Mendía
PROYECTO Y COORDINACIÓN EDITORIAL: Rodolfo Fonseca
COORDINACIÓN DE DISEÑO: Javier Morales Soto
DISEÑO Y FORMACIÓN: Angie Aladro Maldonado
ASISTENCIA EDITORIAL Y CORRECCIÓN DE ESTILO: Ricardo Maldonado Gutiérrez

Hablemos con el fuego

Texto D.R. © 2017, Ernesto Colavita
Ilustraciones D.R. © 2017, Luis San Vicente

PRIMERA EDICIÓN: diciembre de 2017
D.R. © 2017, Ediciones Castillo, S.A. de C.V.
Castillo ® es una marca registrada.

Insurgentes Sur 1886. Col. Florida.
Del. Álvaro Obregón.
C.P. 01030. México, D.F.

Ediciones Castillo forma parte del Grupo Macmillan.

www.grupomacmillan.com
www.edicionescastillo.com
infocastillo@grupomacmillan.com
Lada sin costo: 01 800 536 1777

Miembro de la Cámara Nacional
de la Industria Editorial Mexicana
Registro núm. 3304

ISBN: 978-607-540-019-8

Impreso en México / *Printed in Mexico*

Hablemos con el fuego

Ernesto
Colavita

Luis
San Vicente

castillo
A Macmillan Education
Company

Giroscopio

Fuego,
aire,

agua y tierra

Todas las cosas que existen pueden encontrarse en cuatro formas diferentes: ardiendo, como el fuego; sólidas, como la tierra; líquidas, como el agua; o gaseosas, como el aire.

El fuego nos da luz y calor,
y a veces parece que está vivo...

El Sol es como una esfera de fuego.
Éste da origen al día y, con su energía,
se forman los vientos y crecen las plantas.

Mira una vela encendida. ¡El fuego luce alegre! Se mueve como si bailara, siempre tratando de ir hacia arriba.

El fuego surge cuando algo arde: la cera de las velas o la leña se combinan con el oxígeno del aire, lo que produce fuego. Este proceso se llama combustión.

El carbón y el oxígeno,
mientras arden y se combinan, no
están en forma líquida, ni sólida,
ni gaseosa; se encuentran en un
estado conocido como plasma.

Y cuando se enfrían,
se transforman en humo.

Los relámpagos de las tormentas también son plasma, pero no nacen a partir de una combustión. Son el aire que, por un instante, se calienta tanto como el sol, gracias a la energía que brindan las descargas eléctricas.

Las estrellas que iluminan la noche y nuestro sol arden siempre de esta manera.

Al principio, las personas le temían al fuego, pero aprendieron a aprovecharlo. Se convirtió en la luz y el calor de sus vidas.

Las alumbró por las noches, les quitó el frío, cocinó sus alimentos y las protegió de animales peligrosos.

Gracias al fuego se comenzó a fabricar cerámica y a moldear metales. ¡Se convirtió en el motor de la historia humana!

22

Sin el fuego, nuestro mundo no sería como lo conocemos.

El fuego es fascinante y útil, pero es muy peligroso y puede ocasionar incendios.

Por eso debemos respetarlo: no juguemos con cerillos ni encendedores; cuando no usemos velas o estufas, revisemos que se encuentren apagadas; y también cuidemos que no haya fugas de gas.

Fuego, aire, agua y tierra pueden combinarse. El aire alimenta al fuego y éste crece.

El agua lo enfría y apaga. Y la tierra no deja que el oxígeno genere una combustión, por lo que también lo extingue.

El fuego nos da luz y calor,
y a veces parece que está vivo.

Cómo prevenir un incendio

El uso del fuego tiene grandes beneficios; sin embargo, también produce muchos accidentes.

Ante cualquier emergencia, es indispensable conocer el número telefónico de los bomberos. ¿Lo sabes? ¡Averígualo y anótalo en el recuadro!

Además, es importante tener las siguientes precauciones:

1

Mantén cerradas las llaves de gas de la estufa y del horno cuando no se usen.

Si huele a gas, abre bien las ventanas para ventilar el espacio.

2

3

No dejes velas encendidas cuando nadie las vigile.

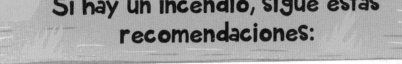

Si hay un incendio, sigue estas recomendaciones:

1 Mantén la calma.

2 Identifica la fuente del incendio.

3 Avisa a un adulto.

4 Obedece las indicaciones para ir a la zona de menor riesgo.

5 No uses elevadores.

6 Humedece un trapo y tapa tu boca con él.

7 Si hay mucho humo, arrástrate por el suelo.

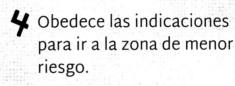

4 No conectes muchos aparatos en una sola toma de corriente.

6 Si se enciende el aceite en una estufa, no trates de apagarlo con agua.

No dejes sustancias inflamables cerca de las fuentes de calor.

5

La leyenda del tlacuache y el fuego

Cuenta una leyenda nahua que un día, al principio de los tiempos, cayó una bola de fuego del cielo. Como nadie había visto el fuego antes, todos se asustaron y huyeron. Sólo una anciana se acercó y lo llevó a su casa.

Cuando vieron lo que el fuego hacía por la anciana, muchos lo quisieron también en sus casas, pero ella lo guardó celosamente. Entonces pasaron su tiempo planeando cómo robárselo. Y en ese instante llegó un tlacuache.

Los tlacuaches no eran muy queridos por las personas, así que éste aprovechó la situación y les prometió el fuego a cambio de que lo respetaran de ahora en adelante. Luego entró sigilosamente a la casa de la anciana y puso la cola en el fuego. Enseguida corrió al pueblo y encendió un fogón en cada casa.

Desde entonces, los tlacuaches tienen la cola pelada y los humanos disfrutan del fuego.

Esta obra se terminó de imprimir
en diciembre de 2017 en los talleres de
Editorial Impresora Apolo, S.A. de C.V.
Centeno 150-6, Col. Granjas Esmeralda,
Delegación Iztapalapa, C.P. 09810,
México, D.F.